CW00381880

Funestes missives

Denise Palette

Funestes missives

Roman

LE LYS BLEU
ÉDITIONS

Aurais-je dû écrire ces lettres bien avant et tous ces évènements malheureux, tragiques auraient-ils pu être évités ?

J'ai lancé des appels au secours, mais sans doute pas assez explicites ou pas aux bonnes personnes.

Demander de l'aide ce n'est pas dans mon caractère ; toute petite, j'ai dû être autonome et me débrouiller seule : aller à l'école primaire à vélo, rester seule des mercredis entiers dans une maison isolée…

Cette solitude, au départ imposée et subie, a forgé mon caractère d'une très grande timidité qui n'a fait que creuser le fossé au moment fatidique ou j'avais besoin d'aide, de réconfort, de soutien.

Je n'ai pas pu, pas su à cause de ma pudeur, de ma honte d'être une mauvaise mère et tout est allé crescendo.

Papa,

Toi qui as toujours été si gentil, si calme, si posé, jamais un mot plus haut que l'autre, tu ne nous montrais pas tes sentiments par pudeur ; ta génération n'avait pas connu les câlins mais la guerre, les parents agriculteurs qui n'avaient pas de temps à consacrer à leurs nombreux enfants livrés à eux même.

Toi l'aîné qui a travaillé à la ferme et ensuite à l'usine, toi qui aurais voulu être boulanger, tu nous en parlais mais tu t'es marié, tu as eu tes 5 enfants qu'il fallait nourrir et tes projets ont été avortés, jamais réalisés. En as-tu beaucoup souffert ?

Peu de souvenirs de mon enfance moi la plus jeune, la timide, la discrète ; dès que j'ai su lire, je dévorais tout ce qui me passait sous la main : livres de mes frères, journaux, magazines…

Tes premiers congés payés avec tes enfants, ton envie de tout voir, de tout faire : musées, manger au restaurant ; ton appétit de rattraper le temps perdu, de ta jeunesse sacrifiée.

Nos balades à vélo tous les deux le dimanche matin, cet instant magique où nous étions seuls au monde, en silence car tu parlais peu.

Combien tu vas être malheureux, j'aurais tant voulu te préserver, toi auquel je n'ai jamais dit combien je l'aimais, chose que l'on ne dit pas.

Toi qui as été si fier, si heureux à la naissance de ton 1er petit fils même s'il ne porte pas ton nom, j'ai accolé à son prénom Aymar ton prénom à toi Benoît ; j'étais tellement contente et fière que ce soit un garçon.

Toi qui l'aimais cet Aymar, combien de fois tu as joué le rôle de son père absent : tu lui as appris à faire du vélo et vous aimiez tous les 2 ces ballades sur les petits chemins, aller ramasser les mûres, glaner les maïs mais également jouer au ballon, faire des « poutous » ; avec lui, tu revivais ta jeunesse et lui aussi t'adorait.

À ma mère,

M'as-tu aimé un jour ? Moi la 5ᵉ enfant non désirée, l'accident. Tu ne me l'as jamais montré, toi si froide qui gère tout d'une main de maître.

Quand je t'ai annoncé que j'étais enceinte après tant de tergiversations comment lui dire ? Que va-t-elle penser ? Moi qui attendais que tu sois heureuse pour nous, ou tout au moins pour moi et avec moi.

Avoir un bébé n'est-ce pas la transmission de mère à fille qui devient à son tour mère. Je sais que tu n'approuvais pas mon choix. Odilon mon conjoint et futur père d'Aymar ne te plaisait pas.

Avec le recul, tu avais raison mais ne devais-tu pas respecter mon choix, te réjouir pour moi ?

Chacun fait et assume sa vie ; vaut-il mieux avoir des remords que des regrets ? Je te demandais juste ton assentiment que tu ne m'as jamais donné.

Quelques jours, semaines après… suite à une conversation avec papa (j'aurais voulu être une petite mouche pour entendre ce qu'il t'a dit !) tu as mis de l'eau dans ton vin mais au fond de toi tu réprouvais.

Après la naissance d'Aymar et surtout après ma séparation d'avec son père, ton attitude a toujours été ambiguë : m'aider mais en même temps avoir la main mise et quand les problèmes de violence physique et verbale ont fait jour, tu n'as pas su ou voulu m'épauler, m'assister.

N'as-tu pas vu combien c'était difficile pour moi que j'étais à bout, n'y arrivant pas, que j'étais dépassée sans solution, sans aide.

J'appelais au secours. Au fond qu'aurais-je dû faire ? Hurler ?

Je demandais juste un peu de bienveillance de ta part.

À ma très, très chère belle-sœur,

Pièce rapportée, bru, je ne sais quel mot utiliser ? Comment te nommer ?

J'avais 12 ou13 ans quand tu es entrée dans ma vie, toi la conjointe de mon frère.

Comme dit Renaud « On ne choisit pas sa famille » et pour cause je n'ai jamais compris pourquoi il s'était engagé avec toi : tu n'es ni belle, ni intelligente, ni riche, ni gentille, ni ni…

Je me demande ce qu'il serait advenu s'il s'était marié avec sa précédente compagne ? D'autres personnes n'ont pas compris son choix. Pourquoi il avait rompu avec elle pour toi ?

Je la vois parfois, elle est gentille, agréable, tout le contraire de toi qui est froide, mesquine, sans cœur.

Ah, elle est belle la famille ! Rappelle-toi ma chère belle-sœur honnie quand tu as eu des soucis avec ta fille aînée qui volait de l'argent, mentait, que vous avez mis dehors ; vous avez pu compter sur ton beau-frère (le deuxième de ma fratrie) qui l'a hébergé, conseillé, aidé, épaulé et tout est rentré dans l'ordre. Le reste de la famille a répondu présent.

Et moi qui m'a aidé ? Qui était là quand j'étais au fond du trou ? Au bord du suicide ? Personne, personne, personne…

Je n'oublierai jamais ce que tu as dit à ta belle-mère (ma chère maman) qui avait appelé ton mari car elle était inquiète à mon propos ou pas ? En tout cas, elle voulait lui parler de mes problèmes, il était absent ? Ou présent mais tu as répondu à sa place car, même pas tu as assumé, tu n'as pas eu le courage de me le dire à moi en face à face « Son gosse elle l'a voulu qu'elle se démerde avec lui » ; génial le soutien familial, se serrer les coudes.

La phrase choc qui tue et là je me suis rendu compte que je ne pouvais compter sur personne, que j'étais seule à gérer l'ingérable. Famille je vous hais !

Je demandais juste un peu de compassion, d'assistance, d'accompagnement, de réconfort que l'on allège ma charge que je puisse lâcher du lest.

Help me Help me !

Finalement, j'envie les orphelins car au moins eux ne se posent pas la question.

Lettre à ma chère mémé,

Je ne te remercierai jamais assez de m'avoir fait découvrir les livres, leur odeur si particulière dans ma toute première bibliothèque dont j'ai franchi le seuil en ta compagnie. Le plaisir d'aller à la bibliothèque avec ma mémé.

Toi qui n'avais pas fait d'études et pour cause, ta génération travaillait la terre dès le plus jeune âge, tu avais soif de savoir, je ne sais pas et n'ai jamais su qui t'avait donné le goût de la lecture ; on ne pose pas ce genre de questions à une adulte lorsque l'on est enfant.

Une chose est sûre tu m'as transmis cet amour inconditionnel du savoir telle une drogue dont je ne peux pas me passer, je suis accro et cette addiction, bien souvent me permet de m'évader et de ne pas devenir folle face à mon tortionnaire de fils.

Quand il était petit, quelle joie de lui lire des histoires avant qu'il ne s'endorme, je prenais autant de plaisir à lui les lire que lui a les écouter, il en voulait toujours plus. Je lui lisais les classiques de la littérature jeunesse que nous partagions ; ses préférences à lui : Jules Verne et Homère et pour moi Antoine de Saint Exupéry.

Ces moments de partage sont enfouis tout au fond de mon cœur à tout jamais.

J'adorais déambuler dans les rayons de la médiathèque en compagnie d'Aymar en souvenir de toi ma mémé adorée.

Malheureusement lors de l'apprentissage de la lecture et des difficultés qui l'ont entouré, le goût pour la lecture n'est jamais venu à mon grand regret.

Je ne lui ai pas transmis cette envie, bien au contraire, à l'école tout a été compliqué

Ma mémé bien-aimée trop vite disparue, tu n'auras pas connu Aymar.

Pépé, mémé d'Aymar,

Odilon n'était pas famille, privilégiant les sorties avec ses copains, mais au début de notre relation, les tensions familiales se sont apaisées et nous assistions aux repas de famille : Noël, anniversaires…

Ma belle-mère aimait cuisiner et réunir ses enfants et petits-enfants ; elle qui venait de la DDASS, qui n'avait rencontré ses frères et sœurs qu'à l'âge adulte, elle était très mère poule, protectrice.

Avec l'arrivée d'Aymar, nous étions choyés, chouchoutés ; un bébé renforce les affinités.

Même après la séparation, j'ai essayé de garder ce lien, avec vous pépé et mémé qui vous faisiez une joie de voir grandir Aymar, d'assister à ses premiers mots, ses premiers pas…

Mais suite au décès du pépé d'Aymar et à l'initiative de la compagne d'Odilon, ce dernier a rompu tous liens avec les siens pour des questions d'héritage, de fric…

Puis la maladie de mémé et son placement en EHPAD ont définitivement creusé le fossé de manière irrémédiable. Les quelques visites se sont espacées, raréfiées jusqu'à ne plus avoir lieu avec l'avancée inexorable de la maladie.

Famille paternelle d'Aymar,

Oncles, tantes, cousins, cousines d'Aymar, l'ensemble de la famille vous m'avez accueilli à bras ouverts, gentils, le cœur sur la main.

Je dois avouer que j'étais plus proche de vous que de ma propre famille ; déjà, vous habitiez près de nous, la mienne était éparpillée ; le dialogue était agréable et simple, pas de jugement, de conflits.

La famille père – mère – enfants, c'est ce que j'ai connu enfant ou nous allions manger chez les oncles, tantes, pépés, mémés…

Nous nous retrouvions entre cousins, cousines du même âge pour jouer aux jeux de société, pique-niquer, nous baigner…

Tout cela Aymar ne l'a pas beaucoup vécu, bien trop souvent seul enfant parmi les adultes de par ma faute, les circonstances (mes neveux et nièces sont beaucoup plus âgés que lui).

Après la séparation, ce lien familial qu'il n'a pas connu, ces repas de famille avec ses cousins, cousines a intensifié mon mal être, ce sentiment de vase clos, de relation toxique mère-fils.

Ma situation de mère célibataire a toujours été très difficile pour moi je ne l'ai jamais assumée, j'en ai toujours souffert. Portant vous ne m'avez pas jugé ; bien au contraire avec le recul je pense que vous m'avez lancé des perches que je n'ai pas su saisir et qui auraient pu changer notre destinée.

Malheureusement, le déménagement a rendu difficiles les visites de par la distance ; le lien s'est distendu et les occasions ont été rares pour Aymar de vous voir à mon grand désarroi.

J'étais entre deux feux (le cul entre deux chaises : position très inconfortable), je me suis effacée et je regrette de ne pas m'être imposée car ainsi il ne voit plus personne de sa famille paternelle, le lien tenu s'est distendu à tout jamais.

À ma décharge, c'était la famille paternelle d'Aymar pas la mienne, c'est en compagnie de son père qu'il aurait dû vivre tous ces évènements et l'égoïsme et la mesquinerie d'Odilon sont autant responsable de cet état de fait que moi.

Pédopsychologues, psychologues et autres personnels CATTP,

Vous que j'ai sollicité à maintes et maintes reprises dès l'entrée à la maternelle d'Aymar, ses relations conflictuelles avec les autres enfants (bousculades, coups, morsures…) et les parents plus ou moins conciliants envers moi (une femme seule pas étonnant, un garçon sans autorité paternelle, sans repères…) l'étiquette collée sur ma face (mauvaise mère).

Déjà, la violence était présente mais la première pédopsychiatre (d'une longue liste !) m'avait rassuré, il cherche sa place en plus avec ses soucis d'élocution eh oui rien ne m'a été épargné pour couronner le tout il a des problèmes de langage, des TOC (séances orthophonistes pour y remédier, ORL pour otites séreuses à répétition) et le début des galères.

Et vous vous êtes relayés hommes, femmes tout au long de ces semaines, ces mois, ces années (au détriment de mon porte-monnaie) avec plus ou moins de succès, de réussites notables mais les résultats, les changements en profondeur, le retour à la normale j'attends toujours.

À votre décharge, je concède que les premiers rendez-vous j'y crois mais peu à peu mon espoir s'amenuise ; Aymar n'adhère pas, refuse de parler de communiquer, d'exprimer, de verbaliser son mal être.

Et avec le temps c'est de mal en pis : les menaces, les prières pour qu'il accepte d'aller aux rendez-vous et le lâcher prise, l'abandon (épuisée de négocier sans cesse pour qu'il accepte de se rendre aux séances où il est mutique, à quoi bon insister ?).

Et financièrement sans pension alimentaire 2 séances par mois à raison de 60 € la séance un gouffre financier sans résultat tangible et concret.

De plus aucune obligation imposée par les juges ; il fait comme il veut ; après le collège, il doit aller chez sa psy seul pendant que je suis au travail mais il ne s'y rend pas et après son placement il participe à des séances au CATTP avec à la clé aucun dénouement, ni aboutissement concluant, pertinent.

Les psys privés j'y ai cru mais peu de temps malheureusement, chaque fois une psy femme ; le seul psy homme qu'il a vu c'est aux urgences pédiatriques après une énième crise de délire, de destruction et une prise en charge des pompiers suite à mon insistance.

Malheureusement, ce soignant est hors de notre secteur géographique et retour à la case départ CATTP ou il est dans un groupe avec des enfants plus jeunes ; avec les autres participants il n'a aucune affinité, il ne supporte pas la pédopsy et reste muet en sa présence.

Messieurs les gendarmes,

Vous qui êtes intervenus à plusieurs reprises à mon domicile quand Aymar pétait les plombs et cassait tout dans la maison ; vous qui parliez avec lui qui le raisonniez mais vous impuissants face à ma détresse. Quelqu'un peut-il le prendre le temps d'apaiser les tensions ?

Vous avez une famille ? oui des parents âgés et une fratrie qui n'en a rien à foutre de moi ; il ne faut pas que les soucis de notre pauvre petite sœur rejaillissent sur nous.

Après la venue des gendarmes, il se calmait mais pour combien de temps, jusqu'au prochain pétage de plomb, la cocotte-minute prête à exploser.

Lors de la convocation à la gendarmerie suite à mon œil au beurre noir ; il faut porter plainte mais il a 11 ans c'est mon fils je ne peux pas et donc la conclusion : rappel à la loi et basta.

A-t-il eu conscience de la gravité de son attitude ?
Oui sûrement mais il a recommencé, aucune limite à
sa violence et les raisons ? Peut-on dire que la
méchanceté est dans les gènes on naît gentil ou
méchant et rien ne peut changer ? Vaste question
philosophique.

Lors d'une énième convocation, un gendarme très
humain, très compréhensif : ce n'est pas normal ; il
faut agir maintenant qu'il est encore jeune sinon à 18
ans il vous crachera au visage ou pire vous tuera !
Prémonition !

Oui mais que faire ? son père a sa vie il ne veut pas
s'encombrer, mes parents sont âgés, le reste de ma
famille (si l'on peut employer ce terme) ne se sente
pas concerné il ne faut pas que mes problèmes
bouleversent leur petite vie bien parfaite, bien réglée,
bien huilée.

Je suis le petit mouton noir, la pauvre fille
incapable de gérer son gosse.

Madame, messieurs les juges pour enfants,

Vous qui vous êtes suppléés, qui avez été alertés par l'enquête sociale diligentée suite aux absences scolaires injustifiées d'Aymar et le rapport des assistantes sociales.

Suite à l'agression physique d'Aymar à mon égard et à son violent coup de poing dans l'œil (7 jours d'ITT) et à mon non-dépôt de plainte ; mais la gendarmerie ayant donné une suite à ma convocation dans leurs bureaux ; Aymar a dû répondre à une convocation du procureur et à la mise en place d'une AEMO (assistance éducative en milieu ouvert).

Vous qui placez les enfants qui sont en danger loin de leurs parents.
Vous qui éloignez ces derniers, victimes de sévices physiques, sexuels, de la part de leurs parents quand est-il lorsque c'est l'enfant le bourreau ?

Quel est votre rôle, votre pouvoir d'action quand c'est le parent qui est en danger vis-à-vis de son enfant violent ?

Vous décidez du placement de cet enfant mais comme vous le rappelez pour l'aider lui et lui seul.

Mais le parent victime de violence de la part de son fils qui l'aide ? Qui doit-il solliciter ?

Vous qui avez statué pendant les mois ou Aymar était placé en foyer éducatif, vous que j'ai interpellé demandant à cor et à cris de l'aide (mes courriers successifs d'appels au secours) ; vous avez décidé son placement avec retour les week-ends et là ma vie a changé la semaine.

Mais le vendredi soir, quand il rentrait l'enfer était là les reproches, « c'est ta faute si je suis en foyer, tu es une mauvaise mère, une grosse nulle, tu es responsable, c'est toi la folle qui doit être enfermée pas moi tu me dégoûtes » et l'escalade de la violence physique et verbale.

Le placement a été un échec cuisant pour nous deux renforçant la violence d'Aymar qui me faisait payer doublement : la violence d'avant amplifiée par son placement en foyer qu'il n'acceptait pas.

À chaque jugement, vous abordiez le sujet des soins psychologiques mais jamais vous ne les avez imposés ; je me suis battue bec et ongles pour qu'Aymar bénéficie d'une vraie prise en charge psychologique mais l'obligation n'a jamais été stipulée dans le jugement.

Au final, aucune sanction n'a été prise à son égard, aucune demande concrète de compte rendu, d'évolution de la prise en charge, de résultats probants.

Monsieur Toumain,

Suite au rapport des assistantes sociales consécutif à la déscolarisation d'Aymar, nous avons été convoqués Odilon et moi devant le juge pour enfants. Devant les difficultés rencontrées, une mesure d'AEMO (action éducative en milieu ouvert) a été mise en place.

Vous avez été désigné comme éducateur référent auprès d'Aymar. Vous qui êtes venu tout au long de ces semaines, mois, d'abord en visite à la maison ponctuellement tout au plus une fois par mois normal vous avez tellement d'enfants à suivre vous ne pouvez leur consacrer que quelques heures chaque mois.

Puis vous l'emmeniez pour parler à l'extérieur de la maison, seul en face en face de manières sporadiques.

Je ne vous jette pas la pierre, vous n'êtes en rien responsable et même je pense que vous en souffrez de ce travail à moitié fait, de ce suivi qui n'en ait pas un.

Comment un enfant peut-il être en confiance, créer des liens avec un éducateur qu'il voit épisodiquement, comment ce dernier peut-il réellement lui venir en aide de manière profitable c'est mission impossible ?

La communication a toujours été présente entre nous, pas de jugement de valeur, de sentence sur la situation, la relation mère-fils.

Tout est allé très vite le placement a été décidé car vous et la psychologue de votre structure craigniez cette violence latente qui pouvait surgir, jaillir à tout instant d'un côté comme de l'autre (l'avenir vous donnera maintes fois raison).

On peut qualifier Aymar d'enfant auto agressif, hétéro agressif ! les termes sont tout à fait appropriés pour nommer sa pathologie.

Mesdames, Messieurs les éducateurs,

Vous qui avez intercédé tout au long de ces semaines, mois lors de son placement d'urgence en structure. Comment Aymar a-t-il vécu le foyer ? Vaste sujet, a-t-il noué des liens avec certains des éducateurs, avec les autres enfants présents a-t-il ressenti l'abandon, l'éloignement d'avec moi sa mère comme une punition ? Il ne voulait jamais en parler en ma présence (et difficilement avec les psys ?).

Au collège, il se battait régulièrement car il ne supportait pas l'étiquette de foyer sur son dos ; dans une petite ville au sein d'un petit collège tout se sait lui qui aurait voulu être anonyme, discret déjà que l'absence de son père faisait jaser ; le foyer c'était le summum.

Lors de crises violentes, il me l'a balancé dans la gueule qu'à cause de moi il a raté ses années collège, les seuls copains qu'il avait étaient comme lui des enfants placés.

Cet éloignement nécessaire, conseillé, indispensable pour apaiser les tensions de cette relation fusionnelle et toxique mère-fils a-t-il rempli son rôle ?

Dans un sens oui et en même temps non car la relation n'a pas évolué, en entretien jamais vous ne me critiquiez sur mes faits et actes mais dans mon dos j'imagine très bien vos commentaires : quelle grosse nulle, quelle mère incompétente.

Ce placement m'a permis de souffler, de me recentrer sur moi-même, de déléguer sur d'autres personnes de manière contrainte et forcée ce que j'étais incapable de faire seule, à mon initiative.

Mais finalement, j'ai encore plus culpabilisé d'être une mauvaise mère, de ne pas y arriver, c'était un échec. J'ai pu souffler la semaine ; seule j'ai pu mieux dormir, mes journées et surtout mes soirées après le travail étaient calmes, j'étais seule et zen sans conflits à gérer, j'étais apaisée.

Mais en même temps, tous les week-ends il était à la maison et me faisait payer ce placement, cet abandon.

Tout était sous-jacent mais bien là, il ne s'est pas emparé de la perche tendue d'aide il a tout refusé en bloc.

Lettre à Odilon,

Aymar est un enfant de l'amour, je ne t'ai pas fait un enfant dans le dos. Tu étais heureux d'avoir un fils, rappelle-toi tu étais venu avec moi à l'échographie pour connaître le sexe de notre enfant (seul rendez-vous ou tu as daigné m'accompagner !).

Tu étais content et fier : un fils qui porterait ton nom. On était ensuite allé à la mairie pour sa reconnaissance avant la naissance : démarche indispensable pour qu'il porte ton nom comme nous n'étions pas mariés.

Tu étais plus ou moins présent durant ma grossesse mais je m'en accommodais : ta main sur mon ventre pour sentir les coups de pied de ton fils, ton oreille collée tu écoutais son cœur battre ; tu semblais t'impliquer.

Aux dires de la sage-femme, le jour de l'accouchement tu as beaucoup fumé : stress, inquiétude… La naissance fut un peu longue et compliquée : péridurale, épisiotomie et forceps au final et enfin l'arrivée de l'enfant tant attendu.

J'étais aux anges, mon bébé blotti tout contre moi et toi Odilon près de moi ; étions-nous enfin une famille ? L'arrivée de ton fils allait-elle changer la donne ?

J'y ai cru ou bien me suis-je voilé la face et je savais tout au fond de moi que rien n'évoluerait, que tu ne changerais pas malgré la présence de ton fils.

Lettre au père d'Aymar,

Le retour à la maison à 3, j'allaitais Aymar moment magique, l'osmose, l'impression de ne faire qu'un ; te sentais-tu exclu ? Tu fumais cigarettes et autres joints à l'extérieur comme je te l'avais demandé mais très vite cela t'a gonflé tu ne comprenais pas ou ne voulais pas comprendre l'importance de l'air sain dans l'appartement, les risques pour le bébé.

Tu sortais avec tes copains, ces derniers venaient, rien ne bougeait, ne se modifiait. Le calme, le sommeil de ton fils, ma fatigue (l'allaitement la nuit), mon repos tu n'en avais que fi, tu vivais ta vie comme avant. Tu ne faisais aucune concession, aucun compromis.

Et petit à petit, je réalisais que si je voulais préserver le bien-être d'Aymar il fallait que je parte.

Je pensais que l'électrochoc allait se produire quand je t'en ai parlé que tu allais te battre pour nous garder mais tu ne m'as pas prise au sérieux. J'ai commencé les démarches pour trouver un appartement et tout s'est enclenché irrémédiablement.

On devait s'adapter à ton mode de vie mais un enfant ne peut pas vivre de cette manière.

Je croyais que cette séparation serait provisoire, que tu ouvrirais les yeux et que tu ferais des efforts pour nous récupérer et que nous formerions enfin une famille, je n'attendais que cela une parole, un geste de ta part qui à mon grand dam n'est jamais venu.

Bien au contraire, tu sortais avec d'autres femmes, tu avais fait le deuil de notre relation très, très rapidement j'étais anéantie, découragée, abattue, révoltée ; Aymar et moi nous comptions si peu pour toi ?

Et la séparation provisoire a été actée ; tu passais un peu de temps avec Aymar mais un bébé ce n'était pas très intéressant.

Cher Odilon,

Ton fils grandissait, ta présence à ses côtés était très épisodique, tu exerçais ton rôle de père à tiers, quart, mi-temps ; seulement si tu n'avais rien de mieux à faire.

Tu as toujours fait passer ta personne avant tout ; je ne pouvais pas compter sur toi pour m'aider, prendre le relais lorsque j'étais fatiguée.

Les années se sont enchaînées, après avoir papillonné à droite à gauche tu avais refait ta vie avec la fameuse Clarisse.

Et puis Aymar a fait sa première crise épileptique, ta mère t'en a informé ; car toutes ces années j'avais gardé le contact avec tes parents qui appréciaient de voir Aymar régulièrement le dimanche après-midi.

Et ta réaction (sans doute encouragée par ta chère Clarisse) m'a une nouvelle fois scotché ; tout d'abord, tu n'es même pas venu le voir à l'hôpital ; tu m'as juste appelé et tu m'en as rendu responsable ; « Tu l'as énervé et tu as provoqué cette crise » voilà tes paroles de soutien face à mon anéantissement.

Renseigne-toi pauvre inculte l'épilepsie est une maladie neurologique. C'était la goutte d'eau qui a fait tout déborder, me retrouver accusée injustement. J'ai coupé les ponts pour me protéger de ta méchanceté attendant un geste d'apaisement de ta part qui bien entendu une nouvelle fois n'est pas venu.

Au père absent de mon fils,

Les années se sont enchaînées, malgré les perches que je te lançais j'ai bien compris que tu avais tourné la page de notre relation, je peux bien te le dire maintenant il y a prescription je t'aimais toujours et pour preuve je n'avais pas refait ma vie.

Mon entourage m'encourageait à sortir, à ne plus être seule pour mon équilibre, mon bien-être et celui de mon fils ; c'était compliqué pour moi, je n'avais pas fait le deuil de notre relation.

Et puis j'ai pris une grande décision : nous éloigner de toi, retourner dans ma région ; l'opportunité professionnelle s'est présentée et je l'ai saisie au grand désarroi d'Aymar (c'est plus tard qu'il me le reprochera amèrement).

Après le déménagement et le retour à mes racines familiales, à la demande d'Aymar (qui vivait mal ce déracinement) et qui en avait parlé avec son oncle « Je veux voir mon papa » ; j'ai proposé une rencontre face à face tous les trois sans Clarisse qui était toujours accrochée à tes basques comme un petit toutou bien obéissant.

Aymar était aux anges, ses deux parents pour lui tout seul mais ce n'était rien d'autre qu'une façade.

Ensemble (mais surtout à mon initiative), nous avons saisi le juge des affaires familiales pour établir enfin un droit de visite pour notre fils puisque rien n'avait été fait officiellement.

Au père détestable d'Aymar,

Lors de la convocation au tribunal, tu es venu avec elle, tu voulais qu'elle vienne avec nous devant la juge (n'importe quoi ! j'ai compris la raison dès l'entrée dans le bureau de la juge). Eh oui, cette simple audition s'est transformée en cauchemar quand tu as demandé la garde d'Aymar.

J'étais estomaquée : des années que tu ne t'en occupais pas et là tu le voulais à temps plein ; tu as exposé tes arguments : tu vis à la campagne dans une grande maison, tu as une compagne, une vie stable moi j'ai des problèmes psychologiques, je vis seule avec notre fils, je le perturbe et il a besoin de stabilité.

Quel enfoiré ! Tu avais bien manigancé pour me planter un couteau dans le dos.

De mon côté, je n'ai pas demandé de pension alimentaire sachant tout au fond de moi que tu ferais des histoires qui aggraveraient encore les relations entre nous qui étaient déjà presque inexistantes.

Tu ne m'aidais pas financièrement pour Aymar depuis notre séparation, tu n'en avais même pas l'idée.

Je voulais que le dialogue se renoue entre nous les parents d'Aymar pour son bien-être, lui qui était perdu, désorienté… Et toi tu disais que j'étais une mauvaise mère et qu'il serait beaucoup mieux avec toi dans un foyer uni et stable mais loin de moi ; mais comme tu l'as si gentiment ajouté, je pourrais venir le voir quand je voudrai.

Tu dictais les nouvelles règles, tu m'écœurais, tu me dégoûtais. Je suis sortie du cabinet de la juge pour vomir ta méchanceté gratuite.

Au géniteur d'Aymar,

Je t'en ai tellement voulu de me faire passer pour une folle, une incapable, j'avais envie de t'étriper ; les personnes autour de moi m'ont rassuré tu n'avais aucun argument crédible.

La juge n'allait pas bouleverser la vie d'Aymar, alors qu'il n'avait que 7 ans, en changeant tout : domicile, école, liens sociaux alors que je n'étais coupable de rien (pas de violence ni de maltraitance…) mais j'étais tout de même inquiète, pas sereine en attendant le jugement.

Cette audition a signé l'arrêt de mort de notre relation définitivement et de manière irréversible. Je te haïssais d'avoir tenu ces propos à mon égard, au lieu de me soutenir, de m'épauler dans ces moments difficiles que je vivais avec Aymar qui n'allait pas bien comme tu allais t'en rendre compte par la suite.

Le jugement est enfin arrivé et j'ai soufflé : la garde pour moi et 1 week-end sur 2 et la moitié des vacances scolaires pour toi.

Avec le recul et sachant tout ce qui s'est passé ensuite peut-être avais-tu raison je n'étais pas apte à élever Aymar ; mais que ce serait-il passé chez toi, qui se serait occupé de lui toi difficile à envisager, ta chère compagne j'en doute encore plus.

Car toi aurais-tu été plus présent pour lui ; aurais-tu changé, te serais-tu enfin remis en question ? L'avenir nous dira que non.

Très cher père d'Aymar,

Toi Odilon qui disait toujours que je t'ai empêché de jouer ton rôle de père ce n'est que mensonges, jamais tu n'as voulu être son père ou si mais seulement quand cela t'arrangeait alors que parents on l'est à plein temps 7 jours sur 7.

Et combien de fois t'a-t-il attendu personne ne venait le chercher et pas d'explication ton fils n'a jamais été ta priorité. Tu viens, tu viens pas, tu exerces ton droit de visite comme cela t'arrange ; tu coupes tout lien.

Combien de week-ends n'es-tu pas venu le chercher sans explication, sans appel téléphonique parce que tu avais autre chose à faire et lui t'attendait.

Tu es trop égoïste, égocentriste, toi d'abord et dans un second temps ton fils ; aujourd'hui, je n'ai rien de prévu je vais jouer 5 minutes avec mon fils ; j'aurais assuré ma part de marché, tenu mon rôle en tant que père.

Comment crois-tu qu'Aymar a-t-il vécu cet abandon, cet incessant va-et-vient (je viens, je viens pas) ?

Lettre à Odilon,

Que dire quel sujet abordé dont nous n'ayons pas parlé, la conclusion est toujours la même avec toi je suis la seule responsable je n'ai pas su éduquer Aymar ; mais toi ou étais-tu toutes ces années où il avait besoin de toi ?

Avec Clarisse ta chère compagne qui ne supportait pas ton fils et comme tu l'as très bien dit à Aymar entre mon fils et ma copine mon choix est fait : ma compagne. Elle qui a profité de toi t'a-t-elle vraiment aimé un jour ? J'en doute elle a vu la vache à lait en toi, celui qui ne peut pas vivre seul, sans une femme pour tout gérer et même venir chercher ton fils le vendredi soir chez moi à ta place car tu avais mieux à faire.

Et le pompon lui dire à 9 ans : mes copains (ou plutôt ta chère Clarisse ça l'arrange bien que ton fils sorte des radars) disent que tu ne me ressembles pas je vais faire un test ADN ; maman c'est quoi un test ADN ? Que répondre à un enfant innocent à une telle question ?

Comment peux-tu douter de ma sincérité moi qui ai toujours été honnête, fidèle et droite avec toi et comment peux-tu mêler un enfant de 9 ans à un tel pugilat ?

Lettre à un père indiscernable,

Odilon, tu as toujours fait passer ta propre personne avant tout, ta Clarisse n'aimait pas ton fils et finalement cela t'arrangeait ; Aymar ne comprenait, pas n'a jamais compris comment son propre père ne s'est jamais occupé de lui, ne l'a jamais aimé.

Par contre pour me critiquer pas de souci cela t'arrangeait que je m'occupe de lui ; tu ne lui faisais jamais de cadeau d'anniversaire, de Noël, jamais d'argent pour lui ; il t'encombrait dans ta petite vie mesquine et égoïste.

Tu le posais dans un coin : zéro vacance avec lui, zéro cadeau de Noël, zéro appel ni cadeau pour son anniversaire, zéro sortie au parc, au manège, zéro parties de foot, de bowling, zéro mac do, rien rien rien de rien...

Le peu de sorties avec lui se passait avec ta chère Clarisse et ton fils posé comme une plante verte dans un coin. Alors qu'Aymar n'attendait que cela de ta part : une ballade tous les 2 au parc, jouer au ballon, aller au manège… ce que font un père et un fils ensemble.

Quand on veut on peut je t'ai toujours excusé mais je n'aurais pas du car ton fils n'est pas idiot et il me l'a dit « Si mon père veut passer du temps avec moi il peut, en fait il s'en fout de moi, il me déteste ».

Odilon,

Et tu me reproches de t'avoir appelé seulement quand tout allait mal, c'est la faute de l'éducation que j'ai inculquée à notre fils et toi tu te dédouanes comme toujours alors que tu es le principal responsable par ton absence.

Comment se construit-on sans figure masculine, sans repères paternels ; mal, la preuve Aymar a eu un manque cruel de père, tu n'es que son géniteur.

Lors des convocations au Tribunal pour enfants idem tu es présent ou absent au gré de tes envies, si tu n'as rien de plus urgent à faire, selon l'horaire ; il faut se lever faire le trajet, tu ne te sens pas impliqué, concerné.

Alors que justement Aymar n'attend qu'un geste de ta part, que par ta présence tu lui montres que tu t'intéresses à lui, que tu te préoccupes de son mal-être, de son avenir… que tu vas l'aider à aller mieux, à trouver sa place lui qui se sent rejeté par toi, qui n'attend qu'un signe d'assentiment (comme une bouteille à la mer).

Au père d'Aymar,

S'il est violent, c'est ma faute, l'éducation que je lui ai donnée et pourtant il n'a jamais subi aucune violence physique de ma part (je suis contre les châtiments corporels envers les enfants même une simple fessée) ; pour moi, le dialogue et l'écoute sont les maîtres mots de l'éducation.

Ai-je été trop faible, trop gentille, trop conciliante, compréhensible, trop laxiste, immature comme tu me l'as dit ? Alors que toi tu n'as jamais assumé ton rôle de père qu'à tiers temps et que tu es adulescent. Ma gentillesse s'est-elle retournée contre moi ? Faut-il être méchante ?

C'est facile de critiquer sans cesse sans rien proposer d'autre !

Je hais la brutalité, face à la violence gratuite d'Aymar je suis totalement démunie, impuissante, incapable de me défendre telles les femmes battues par leur conjoint qui restent malgré les coups qui pleuvent…

Aurais-je dû le frapper et devenir à mon tour un parent bourreau face à un enfant bourreau le cercle vicieux non, non et non ; j'ai subi en me taisant face à cette incompréhension ; pourquoi toute cette violence, ce déchaînement de haine pour tout et surtout pour rien ; qu'ai-je fait pour mériter cela ? Pourquoi moi ?

Suis-je coupable, responsable l'ai-je bien méritée ?

La pauvre elle est seule et ne sait pas s'occuper de son gosse, pauvre grosse nulle !

La violence entraîne la violence, je ne veux pas rentrer dans cette spirale infernale, ce cercle vicieux.

Bourreau, tortionnaire, martyriseur, tourmenteur, manipulateur, sadique quel adjectif employer... je suis désabusée.

Mes collègues,

Vous tout au long de ces semaines, ces mois, ces années ou ma relation mère-fils était plus que compliquée !

Ces matins où j'arrivais au travail en ayant peu ou pas dormi ; faisant toujours bonne figure malgré tout. Ces bleus sur mes bras, je me suis cognée, ces cernes je dors mal.

Ces semaines où la suspicion était dans vos yeux mais que faire difficile, voire impossible d'entrer dans la vie privée des gens.

Je n'accepte pas la situation, je ne me reconnais pas, je me voile la face ; tout va bien je vais bien.

À la porte d'entrée du bureau, je laisse mes problèmes que je récupère et avec lesquels je repars le soir venu.

Toi Camille, qui me lançait la perche, les fois où je craquais, je m'effondrais en larmes c'est dur d'être seule à élever son fils mais encore plus quand c'est un bourreau ; mais que pouvais-je dire mon fils me frappe, il me menace avec des haltères ; il a 9 ans et toi tu laisses faire tu ne te défends pas tu subis ? et ces moments où ?

Et la fois de trop ce coup de poing dans l'œil et la raison : j'ai voulu jouer mon rôle de mère arrête la console de jeu et le coup qui part (arrêt de travail) le regard aux urgences de l'hôpital c'est mon fils qui a fait cela, il a quel âge ? 10 ans ? L'incompréhension du personnel soignant.

Le dépôt de plainte à la gendarmerie je ne peux pas c'est mon fils mais s'il recommence ?

Et j'entends les discussions dans mon dos : la pauvre fille elle n'est même pas capable de gérer son gosse c'est lamentable.

Mon chef,

Mais au bout d'une semaine que faire un nouvel arrêt de travail ? Je dois répondre à la convocation dans le bureau de mon responsable ; mon retour avec un coquard à l'œil encore bien visible malgré le fond de teint étalé en couche épaisse (c'est un accident je me suis cognée dans un placard).

J'avais réfléchi aux différents scénarii, quel mensonge inventer : un accident, agresser par un inconnu, mon ex-conjoint ; mettre en accusation un innocent impossible pour moi, dire la vérité oh mon dieu inenvisageable !

Personne n'est dupe, j'assume mon imposture, le regard des autres qui ne disent rien mais n'en pensent pas moins.

Mon directeur il sait mais que faire, que dire je garde le cap de mon mensonge aurais-je dû vider mon sac et assumer les conséquences, quelles options avais-je ? Et eux non-assistance à personne en danger auraient-ils pu être inquiétés en cas de récidive ?

Aux voisins,

Ballons lancés violemment sur les voitures, dans les plantations, sur les murs, par-dessus le grillage…

Je me fais toute petite, discrète telle une petite souris ; je sais ce qu'ils pensent de moi : que vient faire cette femme seule avec son gosse ingérable dans notre lotissement si calme et si serein.

Je sors en catimini. On se dit à peine bonjour du bout des lèvres. On se salue de loin.

Je suis cloîtrée dans la maison : les cris, les insultes il est impossible, inconcevable qu'ils ne les entendent pas mais c'est l'omerta ; chacun chez soi même si entre eux ils doivent persifler à mon égard.

Les interventions des gendarmes, des pompiers qui se succèdent ; ils y assistent bien planqués derrières les rideaux de leurs fenêtres, ils parlent entre eux c'est sûr comment en serait-il autrement.

Ils se connaissent depuis toujours et moi l'intruse j'arrive dans cette maison avec mes problèmes, je leur gâche leur tranquillité ; mais qui suis-je pour leur imposer ma présence et surtout celle de mon fils monstrueux.

Je sympathise un peu avec ma plus proche voisine : une petite mamie bien gentille qui me donne des légumes, des fruits de son jardin et avec qui je parle jardinage.

Veuve elle aime parler avec moi, mais bien vite des problèmes de santé l'obligent à rester à l'intérieur et bientôt elle part en maison de retraite.

Les autres voisins sont des couples âgés ou des familles avec des enfants adultes ou petits ; aucun enfant de l'âge d'Aymar à mon grand désespoir ; lui qui a du mal à se faire des copains, normal il est agressif ce qui repousse les autres c'est logique.

Cette maison est un gouffre financier pour moi l'extérieur est négligé ni le temps, ni l'énergie de m'en occuper (les crises d'Aymar m'épuisent, je dois le surveiller sans cesse sinon il pète un câble et casse tout : lampes, réveils, vases, téléphones…).

Coups de poing, de pied dans les portes, les murs tout est prétexte à des crises sans fin (la maison de l'horreur il est possédé par le diable) l'intérieur est dévasté : des trous dans les murs, dans les portes, des objets cassés.

Dans sa chambre, c'est une vraie apocalypse.

Avec son petit visage angélique, on lui donnerait le bon dieu sans confession mais derrière le masque se cache Belzébuth démon manipulateur et calculateur...

Roméo mon amoureux,

Ta présence, ta gentillesse, ton humour décalé, ta douceur.

Toi qui m'as donné tant d'amour, de bonheur.

Toi que j'ai rencontré lorsque j'étais au fond du trou, j'avais essayé de passer à l'acte pour en finir, pour ne plus subir toute cette violence gratuite, inappropriée, injuste, inique de mon fils.

Pourquoi qu'ai-je fait pour mériter cela comment un fils peut-il faire subir cela à sa mère qui lui a donné naissance et à qui il doit tout ?

Tu m'as redonné le goût à la vie ; aimé et être aimé ; une vie de femme désirée et désirable alors qu'auparavant ma seule vie était celle d'une mère en souffrance à la merci de son bourreau de fils qui vivait à travers et pour lui.

Toi qui m'as fait espérer une lueur dans ma vie enténébrée.

Si je t'avais connu quand Aymar était petit que serait-il advenu de nous ?

Ces quelques mois en ta compagnie ont été les plus beaux de toute ma vie de femme, les plus heureux, les plus joyeux, les plus épanouissants. Je n'y croyais plus.

Je ne te remercierai jamais assez pour ces instants magiques de complicité, de partage.

On aurait pu être si heureux ensemble tous les 2 mais le destin, la main de mon bourreau en ont décidé autrement.

Tu n'es pas responsable, ce n'est pas ta faute.

Le seul coupable c'est Aymar, Aymar toujours Aymar.

Adieu, mon amour.

Marina, toi ma seule, mon unique et véritable amie,

Souviens-toi de notre rencontre au collège ; puis on s'est perdu de vue ; on a fait nos vies loin l'une de l'autre (avec plus ou moins de déboires, de joies…) ayant de nos nouvelles par des amies communes sans trop oser faire le premier pas pour se revoir.

Il a fallu ce hasard pour que l'on se retrouve comme avant, comme si toutes ces années ne s'étaient pas écoulées l'une sans l'autre ; comme si tout ce temps, ces années n'avaient pas passé.

On a eu chacune nos moments de bonheur et de galère qui se sont succédé, auxquels on a fait face du mieux que l'on a pu.

Je sais que mon décès va être un choc, un cataclysme pour toi au même titre que pour Roméo.

Vous êtes les deux seules personnes qui vont être anéanties car les seuls présents pour me soutenir dans les durs moments que je vivais (ma longue traversée du désert ! il est ou le prochain oasis ?) ; les seuls qui ont vraiment été présents tout au long de ces semaines, mois, années de descente inexorable aux enfers…

Ne culpabilise pas tu as toujours été à mon écoute, pour me soutenir, m'épauler.

Personne ne pouvait rien face à cette déferlante de violence.

Je sais que tu aurais voulu en faire plus pour m'aider mais sache que ton amitié était la chose la plus précieuse qui m'ait aidé à tenir face à l'adversité.

Avant ma rencontre avec Roméo, j'ai pensé au suicide de manière récurrente pour qu'enfin tout cela cesse, ne trouvant aucune solution, aucune issue à la violence insidieuse, physique et verbale d'Aymar ; mais ton amitié franche, sincère, totale me retenait de passer à l'acte, tu étais ma bouée de sauvetage, mon seul réconfort.

Ces instants, où l'on rigolait comme des gamines en parlant du collège, de nos folles escapades à vélo, de cette insouciance qui était la nôtre, demeurent des moments précieux, inoubliables ou je me sentais vivante, invincible avant le retour dans ma triste réalité de femme martyrisée par son fils…

Je ne te remercierai jamais assez pour ces secondes, ces minutes, ces heures où je déposais mes problèmes sur le seuil de ta porte et nous discutions à bâtons rompus de tout et de rien et j'étais bien.

Aymar, mon cher fils,

Toi que j'ai tant désiré, que j'ai porté dans mon ventre durant 9 mois, te sentant bouger, vivre, vibrer, le miracle de la vie, quel bonheur que cette grossesse vécue dans l'allégresse en attendant le moment ou enfin je te verrai, je te câlinerai dans mes bras.

Le calme avant la tempête. Être mère jusqu'à la mort.

Malgré tout ce qu'a pu te dire ton père tu étais un enfant désiré par nous deux, « je ne lui ai pas fait un enfant dans le dos » malheureusement les choses ne se sont pas déroulées comme je l'aurais voulu.

Je te voulais tellement, je croyais, à tort bien entendu, qu'avec ton arrivée ton père changerait, qu'il serait si fier de son fils ; malheureusement rien n'a changer pour lui sa priorité était toujours ses copains qui débarquent à n'importe quelle heure pour fumer shit, boire, manger gratos ; le sommeil du bébé ah bon il faut du calme, l'odeur de shit la fumée de cigarette néfaste au bébé mais non il faut qu'il s'habitue.

Quelle solution avais-je mise à part partir pour te protéger ?

Oh mon fils combien je regrette tout cela comme tu me l'as reproché cette séparation d'avec ton père combien de fois le sujet est revenu pourquoi tu as eu un enfant avec lui, pourquoi je suis né, j'aurais préféré ne jamais naître.

Et si j'étais restée aurais-tu été heureux avec tes deux parents ensemble pour toi mais se déchirant, ne s'entendant plus ; tant de famille font ce choix rester ensemble pour les enfants ; ai-je été égoïste combien de fois me suis-je posé la question et encore aujourd'hui.

Mais comme souvent je te l'ai expliqué on ne peut pas changer le passé juste apprendre de nos erreurs et avancer.

Aymar,

Les 1ers mois, les 1res années de ta vie ont été délicieuses, tu étais calme vers 2-3 mois tu faisais tes nuits paisiblement, je t'allaitais, le bonheur j'étais aux anges.

Le lien avec ton père était fragile mais toujours présent, il venait te voir régulièrement entre deux beuveries chez ses copains parasites et compagnie.

Il passait peu de temps en ta compagnie par peur, par ennui (un bébé ça dort ça mange ça défèque…).

Lui laissais-je assez de place pour qu'il exerce son rôle de père ?

J'étais tout à toi consacrée 24 h sur 24, 7 jours sur 7 ; j'ai mis ma vie de femme entre parenthèses, et ceci pour des années même si à l'époque je ne le savais pas encore.

Un vrai sacerdoce.

J'étais très occupée : nounou, boulot, lessives, courses, sorties au parc… je ne crois pas avoir souffert de solitude ; j'étais tellement affairée, absorbée que je ne voyais pas le temps passer.

J'appréciais tous tes changements : tes 1res dents, tes 1ers mots (maman), tes 1res bêtises, tes 1ers cauchemars, tes 1ers caprices…

Souffrais-tu de vivre en vase clos avec moi ; on voyait peu de monde mise à part la famille ; je vivais intensément mais était-ce vraiment vivre ?

À toi mon fils,

Et puis tu as eu 4 ans, 1re crise d'épilepsie, 1re vraie panique : pompiers, SAMU, urgences pédiatriques, hospitalisation, angoisse.

Réaction de ton père, soutien de sa part bien sûr que non c'est de ta faute tu l'as énervé.

Pauvre con, gros nul, débile fais des recherches, renseigne-toi au lieu de parler à tort et à travers, pauvre inculte ; l'épilepsie c'est neurologique.

Et le summum en ce vendredi matin, un appel du directeur de ton école tu as fait une crise en classe ; je suis au travail branle-bas de combat, l'angoisse dans la voiture (une demi-heure de trajet pour rejoindre l'école).

À mon arrivée les pompiers, le SAMU, le personnel de l'école et toi mon fils conscient et totalement paniqué ; re-urgences pédiatriques, examens cliniques.

T'ai-je trop couvé, surprotégé par la suite ?

J'ai eu tellement peur, j'étais effondrée et encore une fois seule pour tout gérer : batterie d'examens (électroencéphalogramme, scanner, IRM...), et la mise en place d'un traitement médicamenteux.

Pas de famille sur place, je dois assumer seule avec mon fils hospitalisé en observation, personne vers qui me tourner, poser mon épaule, avoir du réconfort, j'étais livrée à moi-même.

Néanmoins, les explications très claires et réconfortantes de la neuropédiatre : il faut surveiller car parfois il s'agit de crises sporadiques et tout cesse avec la maturation du cerveau.

Et malheureusement, l'enchaînement avec les crises à répétition la nuit dans ton sommeil, les matins au radar pour toi et moi (les nuits d'angoisse et si la crise était fatale ?).

Je ne dormais plus te surveillant sans cesse, le moindre bruit m'alertait.

Mon fils,

Les mois, les années s'écoulaient inexorablement, tu grandissais tu changeais physiquement nous vivions toujours en autarcie.

Et puis les alertes épileptiques se sont espacées, l'efficacité du traitement, ton cerveau qui venait à maturité que sais-je ? Jusqu'à disparaître totalement plus aucune crise durant, des mois ; les résultats de tes examens étaient rassurants et la neuropédiatre a décidé l'arrêt du traitement médicamenteux (bonne nouvelle) mais un peu d'angoisse et si tout recommençait !

La vie s'écoulait plus paisiblement même si tout n'était pas rose. Tu n'aimais pas l'école mais bon dans l'ensemble on avait trouvé notre équilibre, notre vitesse de croisière.

Les relations avec les autres enfants, tes camarades de jeux étaient compliqués. Tu invitais des copains mais bien souvent les jeux tournaient au vinaigre, tu détestais perdre (combien de fois les jeux de société ou de cartes ont valdingué dans la pièce car tu perdais ; je m'obligeais à tricher pour te laisser gagner pour avoir la paix et pas de crises…).

Tu ne supportais pas l'échec, tu voulais être le premier, le meilleur et cette attitude n'était pas toujours compatible avec d'autres enfants.

Et puis j'ai saisi l'opportunité professionnelle de me rapprocher de ma ville natale, de mes parents pour vaincre cet isolement que je ressentais tout au fond de moi.

Choix d'une nouvelle vie plus calme, plus apaisée tel était mon objectif.

Aymar mon fils

L'emménagement dans une maison avec jardin synonyme de nouvelle vie pour nous deux.

J'étais tellement heureuse de trouver cette maison loin du tapage de la ville, de la pollution pour me rapprocher de ma famille, ne plus être seule, isolée avec toi seul.

Le retour aux sources dans ma ville natale quelle grossière erreur moi qui pensais trouver le bonheur c'est là que l'enfer a débuté.

Ce déménagement signifiait l'éloignement de tes copains d'école, de ton père (précédemment, il habitait près mais il te voyait peu ou pas selon son bon vouloir, son emploi du temps overbooké [copains, bar…] cela changeait quoi que l'on parte à 60 kilomètres rien si !).

Je ne sais pas ce qui a fait basculer ma vie déjà difficile de mère célibataire dans l'enfer des insultes, des coups de manière inexorable et irréversible.

Tu as mal vécu cet éloignement, se faire des copains dans une nouvelle école pourtant ta professeure des écoles a été géniale, elle t'a bien intégrée (école dans une petite ville avec une petite cantine) après les classes surchargées de la grande ville c'était une chance pour toi qui n'aimais pas l'école et ses contraintes.

Respirer le bon air pur, pouvoir jouer au ballon le soir dans la pelouse au lieu d'être enfermé dans notre petit appartement : le rêve ; plein d'enfants auraient voulu être à ta place de privilégié.

Pourquoi n'as-tu pas adhéré à cette nouvelle vie que je te proposais, ce nouveau départ dans ce cadre idéal ? Pourquoi l'as-tu refusé aussi violemment ? Tant d'autres enfants en auraient voulu, je ne comprends pas et je n'ai jamais compris cette abjection de ta part, ce non-sens, ce rejet total.

Aymar,

La spirale infernale venait de commencer pour ne plus jamais s'arrêter, s'achever malgré quelques accalmies (quelques moments de grâce, de joie, de félicité) mais si peu nombreux et gâchés par tout le reste au regard de tes scènes incessantes, implacables si soudaines et d'une ampleur phénoménale et incontrôlable, invivable ; pour tout et surtout pour rien ; tout va bien et la seconde d'après tout part en vrille sans que je comprenne le pourquoi du comment !

Et tout est allé de mal en pis, tu refusais de te coucher le soir et donc de te lever le matin c'était un vrai supplice chaque soir après ma journée de travail de subir tes crises pour manger, te laver, te brosser les dents, te coucher inlassablement de manière inexorable cela durait, il fallait tout négocier pour obtenir un tout petit peu.

C'était des heures de discussion stérile et quand tu finissais enfin par t'endormir d'épuisement et moi aussi parfois dans ton lit et si en me levant pour aller dans ma chambre j'avais le malheur de te réveiller tout recommençait : un enfer !

Et puis est arrivé le matin où tu as refusé de te lever, de t'habiller de te préparer pour aller à l'école. Je t'ai supplié à genoux, imploré, menacé ? Je ne savais que faire ? Te traîner de force.

Il fallait que j'aille travailler j'étais démunie, je ne savais que faire je t'ai laissé seul à la maison jusqu'au soir tu avais 10 ans mère indigne, irresponsable. J'étais incapable de réfléchir aux conséquences. Il aurait pu se produire le pire, tu te blesses, tu casses tout, tu mets le feu à la maison que sais-je ?

Je culpabilise un max mais je suis seule face à l'ingérable que faire ? L'école est obligatoire mais comment faire te mettre de force dans la voiture t'obliger ; déscolarisé à 10 ans c'est toi qui fais la loi et moi je t'obéis.

Mon fils,

Bon gré, mal gré, tu es retourné à l'école.

Suite à tes nombreuses absences injustifiées, une enquête sociale a été diligentée : des rendez-vous avec une assistante sociale, un travailleur social toute la batterie pour observer, juger, remédier avec comme conséquence un éducateur désigné, échanges formels mais très sporadiques car il a un grand secteur géographique, de nombreux enfants en souffrance physique et psychologique ; je ne critique pas.

Une prise en charge insuffisante dans le cas d'Aymar avec des visites trop peu nombreuses et irrégulières.

Tu as été suivi au CATTP tu faisais tout pour ne pas y aller, il fallait te supplier tu n'écoutais rien une corvée de plus pour moi j'étais prise en otage ; tu étais dans un groupe avec d'autres enfants tu ne trouvais pas ta place ; cette prise en charge psychologique était un échec cuisant.

On m'a conseillé une psychologue privée nous y sommes allés et là mon horizon s'est ouvert j'y ai cru oui totalement et entièrement mon fils j'ai vraiment cru que le bout du tunnel se profilait que l'on allait s'en sortir tous les 2 et reprendre une vie normale de mère-fils.

Ça me coûtait un bras financièrement mais j'étais prête à tout pour que la spirale infernale cesse que l'on retrouve une vie de famille équilibrée même si pour toi une famille monoparentale ce n'est pas une famille. Tu me le renvoyais dans la figure régulièrement « On n'est pas une famille ».

Mais malheureusement, l'accalmie a été de courte durée ; l'adhésion à la prise en charge psy s'est émoussée rapidement. Tu étais mutique, tu n'allais pas aux rendez-vous auxquels tu devais te rendre seul après le collège quand j'étais au travail.

On était revenu au point de départ, au point de non-retour.

Toi, ma chair, mon sang,

Qu'ai-je fait pour mériter tous ces tourments, ces désagréments ; sa mère on lui doit la vie comment peut-on lui faire subir tous ces outrages, ces menaces, comment peut-on la frapper physiquement, l'insulter verbalement, lui cracher à la figure qu'adviendra-t-il quand tu seras adolescent et adulte si déjà je ne peux te maîtriser alors que tu as seulement 9 ou 10 ans ? Il aurait fallu stopper l'hémorragie avant que le sang ne coule mais comment faire ? Aurais-je dû être maltraitante, répondre aux coups par les coups ?

Et puis la situation est devenue invivable, je ne dormais plus, ne mangeais plus, une vraie zombie j'étais devenue ton esclave, je t'obéissais au doigt et à l'œil tellement j'étais terrorisée, j'étais sous ton emprise, à ta merci.

À la moindre contrariété, tu me frappais, j'étais sous ton joug, je te suppliais de ne pas me cogner, me brutaliser.

Je comprenais mieux ce que vivent les femmes battues qui sont à la merci de leur bourreau c'était mon quotidien avec la peur au ventre.

Mon fils,

Et puis est arrivé le pétage de plombs de trop ; je t'ai demandé gentiment et calmement d'arrêter la console de jeux frustration extrême : tu m'as frappé violemment (coup de poing dans l'œil) j'étais estomaquée physiquement et psychologiquement après les insultes verbales, les bousculades, la destruction de mes affaires l'horreur suprême, le passage à l'acte physiquement ; tu avais 11 ans oh mon dieu !

Je me suis rendue à pied seule aux urgences ; j'ai dû faire face à l'incompréhension et au regard des soignants.

Suite à cet acte innommable, je n'ai pu me résoudre à porter plainte, je niais toujours, je pensais à tort que la peur du gendarme aurait un impact sur toi.

Ma non-plainte à la gendarmerie a donné lieu à une convocation au tribunal (signalement fait par l'hôpital) avec rappel à la loi et ses conséquences si tu ne la respectais pas malgré ton jeune âge.

Et puis quelques semaines après, lors d'un entretien avec ton éducateur, j'ai craqué, je me suis effondrée, inconsolable ; une mesure d'éloignement a été décidée en urgence avec placement provisoire pour observation.

Aymar,

Durant les mois, les années de ton placement en foyer on se voyait uniquement les week-ends et les vacances scolaires.

Nos relations étaient tendues alternant entre les crises et des moments d'échanges plus apaisés avec des sorties (mac do, bowling…) mais dans l'ensemble nous parlions peu (de choses légères, loisirs…) mais les vrais sujets n'étaient pas abordés, étaient éludés.

Pas de vraie communication franche et directe j'en étais incapable voyant dans tes yeux ta réprobation, ton jugement (elle s'est débarrassée de moi).

Durant tout ce temps très peu de personnes savaient que tu étais en foyer (j'avais honte, je culpabilisais : je suis nulle) pour moi les enfants sont placés car les parents sont en prison, violents, drogués, problèmes psychologiques… Comme d'habitude, je ne rentrais dans aucune de ces cases.

Quand le dimanche soir, je croisais certains parents dans ton foyer, je ne me sentais pas à ma place, je n'avais aucun point commun avec eux sans vouloir être mesquine à leur égard, je ne comprenais pas comment on avait pu en arriver là à cette solution extrême, j'étais pathétique.

Dernier jour de ma vie.

Et puis ce moment où tout bascule de manière irréversible le point final.

Lors de mes moments d'abattement, je dois l'avouer je pensais au suicide qui résoudrait tous mes problèmes, je serais enfin libérée, délivrée de mes chaînes ; mais le passage à l'acte fatal d'Aymar, cette option je ne l'avais pas imaginé.

Pour moi, c'était un manipulateur pervers, il dosait sa violence graduellement de manière à m'en faire baver mais sans dépasser la ligne, la zone dangereuse.

La violence physique était présente, sous-jacente, palpable ; il ne manquait pas grand-chose pour que tout bascule et ce moment est arrivé.

À tous les coupables innocents,

De l'extérieur, je donnais l'aspect d'une femme forte qui assure et assume, tout le monde me percevait ainsi, ma fragilité était bien cachée tout au fond de moi très profondément.

Il était tellement, tellement difficile de dire que l'on a des difficultés, que l'on n'y arrive pas, que l'on est au fond du trou, de trouver la bonne personne à qui parler et qui a le pouvoir, la volonté de nous aider réellement, nous orienter vers les personnes compétentes, être à notre écoute sans nous juger négativement.

On se met en retrait du monde, sous cloche par peur de l'incompréhension des autres alors qu'il faudrait hurler à l'aide, son mal être avant qu'il ne soit trop tard.

Pour tout un chacun, il était tellement plus facile de faire comme si on ne voyait rien (les traces de coups, les bleus…) n'entendait rien (cris, insultes…).

J'étais livrée à moi-même sans secours, sans réconfort ; dès que l'on n'entre pas dans le moule.

Être une famille monoparentale quel barbarisme ! On n'est pas une famille quand on est seule avec un enfant et de surcroît violent.

Les autres ont peur, la violence ce n'est pas contagieux, tendre la main, aider, soutenir ; toutes ces valeurs auxquelles personne ne m'a habitué.

J'étais seule et maintenant je ne suis plus là pour toujours et à jamais.

Mon fils m'a assassiné : enfant matricide.

Aymar mon fils adoré m'a tué.

Et vous tous ceux qui n'ont rien vu et surtout rien voulu voir ; par votre non-action, votre non-aide vous êtes ses complices. Soyez maudit !

Imprimé en Allemagne
Achevé d'imprimer en février 2022
Dépôt légal : février 2022

Pour

Le Lys Bleu Éditions
40, rue du Louvre
75001 Paris